Les chiots magiques

À deux, tout va mieux

L'auteur

La plupart des livres de Sue Bentley évoquent le monde des animaux et celui des fées. Elle vit à Northampton, en Angleterre, et adore lire, aller au cinéma, et observer grenouilles et tritons qui peuplent la mare de son jardin. Si elle n'avait pas été écrivain, elle aurait aimé être parachutiste ou chirurgienne, spécialiste du cerveau. Elle a rencontré et possédé de nombreux chiens qui ont à leur manière mis de la magie dans sa vie.

Dans la même collection :

1. *Au poney-club*
2. *À la ferme*
3. *La tête dans les nuages*
4. *Une vraie star*
5. *Un anniversaire magique*
6. *À la belle étoile*
7. *Un défilé fantastique*
8. *Un ami formidable*
9. *La reine de l'école*

Sue Bentley

À deux, tout va mieux

Traduit de l'anglais par Christine Bouchareine

Illustré par Angela Swan

POCKET JEUNESSE

Titre original :
Magic Puppy – Friendship Forever

Publié pour la première fois en 2009
par Puffin Books, département de Penguin Books Ltd, Londres.

*À Pash, une ravissante chienne
tachetée qui serait adorable
si elle ne croquait pas les escargots !*

Loi n° 49-956 du 16 juillet 1949 sur les publications
destinées à la jeunesse : mai 2011.

ISBN 978-2-266-21068-3

Mon petit Foudre chéri,

Tu as été si courageux depuis que tu as échappé aux griffes du cruel Ténèbre !

Ne t'inquiète pas pour moi, je me cache en attendant le jour où tu seras assez fort pour prendre la tête de notre meute. Tu dois continuer de fuir Ténèbre et ses espions. S'il découvrait cette lettre, il n'hésiterait pas à la détruire.

Cherche un ami sincère, quelqu'un qui t'aidera à accomplir la mission que je vais te confier. Écoute-moi attentivement, c'est très important : tu dois toujours

Sache que tu n'es pas seul. Aie confiance en tes amis, et tout ira bien.

Ta maman qui t'aime,

Perle-d'Argent.

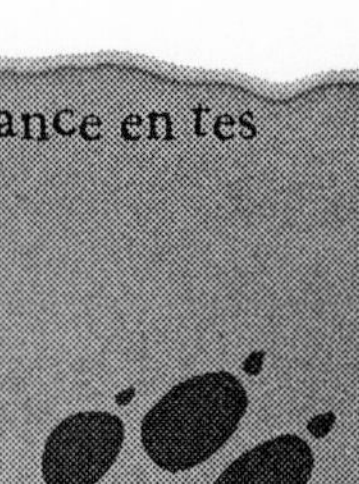

Prologue

Foudre avançait avec peine le long du lac gelé. Des nuages de neige s'accumulaient au-dessus du jeune loup au pelage argenté.

Soudain, un hurlement perçant résonna dans l'air glacial.

— Ténèbre ! gémit Foudre, tremblant de peur.

Pas de doute ! C'était le féroce loup solitaire qui avait attaqué le clan de la Lune Griffue et blessé sa mère. Il devait se cacher. Vite !

Un éclair aveuglant, suivi d'une nuée de paillettes étincelantes, se refléta sur le lac gelé. À la place du louveteau apparut un adorable petit akita à l'épaisse fourrure beige et aux grands yeux bleu saphir.

Il se précipita vers des rochers couverts de glace et les escalada. Dans sa hâte, il dérapa sur la pierre gelée et dégringola au milieu des blocs.

— Foudre, par ici ! l'appela une voix de velours.

— Mère ?

Foudre distingua un trou sous les rochers. Il se releva en gémissant et s'approcha.

La louve était couchée à l'entrée de la grotte. Dans la faible lumière, ses yeux dorés brillaient de tendresse. Le chiot se glissa à ses côtés, remuant la queue, et lui lécha le museau pour la saluer.

Perle-d'Argent l'attira contre elle avec douceur.

— Je suis contente de te revoir, mon fils. Mais tu reviens trop tôt. Ténèbre veut te tuer et prendre la tête du clan de la Lune Griffue.

Les yeux saphir de Foudre flamboyèrent de colère et de chagrin.

— Il a déjà assassiné mon père et mes frères de portée. Je vais le combattre et je le forcerai à quitter notre territoire.

— Je reconnais là ta bravoure. Mais il est trop fort pour toi. Et je suis très affaiblie par ma blessure : je ne peux pas t'aider à l'affronter. Pars, retourne dans l'autre monde. Garde ce déguisement. Tu reviendras quand tes pouvoirs magiques se seront développés. Ensuite, ensemble, nous l'attaquerons.

Perle-d'Argent s'étendit, épuisée par cet effort.

Foudre soupira. Il ne voulait pas l'abandonner, cependant sa mère avait raison. Il se pencha vers elle et souffla sur sa patte une bouffée de paillettes étincelantes. Elles tourbillonnèrent autour de la blessure et commencèrent à s'enfoncer dans le pelage lorsqu'un rugissement retentit devant la grotte. Des pattes énormes aux griffes d'acier grattèrent la glace.

— Vite, Foudre ! Sauve-toi ! le supplia Perle-d'Argent.

Foudre lui lança un dernier regard. Il poussa un gémissement, tandis que le pouvoir montait en lui. Des milliers d'étincelles s'allumèrent dans sa fourrure crème. Elle se mit à briller, briller, briller...

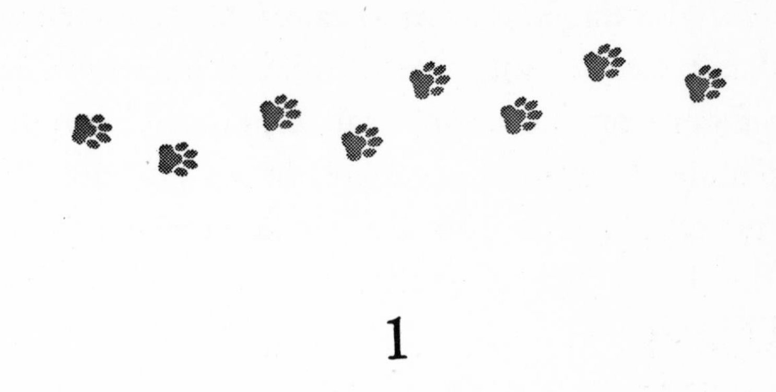

1

Éva Caron frissonna dans le matin glacial, tandis que le sauveteur les aidait, elle et sa mère, à descendre du canot.

Son père déchargea les valises et les posa sur la route, à un endroit que l'eau n'atteignait pas encore.

— Vraiment, c'est une chance que Patricia et Marc aient proposé de nous héberger jusqu'à ce qu'on puisse retourner chez nous !

Éva, soulagée d'avoir regagné la terre ferme, restait un peu inquiète à l'idée d'habiter chez ces gens qu'elle connaissait à peine. C'étaient d'anciens amis d'université de ses parents. Ils vivaient à l'autre bout de la ville et avaient une fille de son âge, Rachel.

Une voiture s'arrêta en haut de la côte. Deux personnes en descendirent.

— Voilà Patricia et Marc ! s'écria Mme Caron.

Le pompier remonta dans son canot.

— Alors, je vous laisse ! dit-il. Et fais bien attention à toi, jeune fille ! ajouta-t-il en adressant un clin d'œil à Éva.

— J'essaierai, répondit-elle avec un sourire timide. Et merci ! lança-t-elle alors qu'il repartait secourir d'autres familles.

La pluie s'était enfin arrêtée, mais la rivière recouvrait la route nationale d'un bon mètre d'eau. Éva essaya de ne pas penser à leur maison avec son rez-de-chaussée complètement inondé.

Un homme passa devant eux en canoë, une caisse à chat posée sur ses genoux. Éva sourit, réconfortée par cette vision.

— Voilà un matou qui a de la chance, déclara sa mère en glissant son bras sous le sien pour la conduire vers la voiture qui les attendait.

Patricia s'avançait au-devant d'eux.

— Mes pauvres amis ! Vous devez être frigorifiés ! s'exclama-t-elle en les embrassant. Rentrons vite à la maison.

Marc les aida à mettre les valises dans le coffre et ils partirent. Le trajet fut rapide. Patricia se gara devant une jolie demeure.

— J'espère que vous vous sentirez ici comme chez vous, dit-elle gentiment avant de les faire entrer.

— Et s'il vous manque quoi que ce soit, n'hésitez pas à le demander, renchérit Marc.

— Merci. Nous sommes vraiment très touchés, répondit le père d'Éva.

— C'est à ça que servent les amis !

— Quelle horreur ce doit être de se réveiller dans une maison inondée ! murmura Patricia. Par chance, les secours sont vite intervenus.

— J'ai eu très peur, reconnut Éva. Je suis contente d'être ici.

— Et après un bon petit déjeuner, ça ira encore mieux. Mais vous voulez peut-être d'abord vous installer ? Marc va vous montrer vos chambres.

— Bien sûr. Suivez-moi.

Ils ramassèrent les valises et se dirigèrent vers l'escalier. Éva leur emboîta le pas, réconfortée par l'accueil chaleureux des Girard.

— Où est Rachel ? s'enquit sa mère.

— Elle est juste allée dire au revoir à une

amie qui part en vacances, répondit Marc. Elle ne devrait pas tarder.

Il leur indiqua leurs chambres et laissa Éva et ses parents défaire leurs bagages.

Mme Caron posa la valise d'Éva sur le lit de la petite chambre qui lui avait été attribuée.

— Quelle jolie pièce !

Éva regarda les affiches sur les murs et les rayonnages couverts de jouets et de jeux. La housse de couette rayée et les rideaux assortis avaient l'air tout neufs.

— C'est vrai. Mais je ne vois pas Émilie, s'inquiéta-t-elle en regardant les affaires que sa mère avait posées sur le lit. Elle est dans une autre valise ?

Émilie était une magnifique poupée ancienne en porcelaine que lui avait prêtée Marine, sa meilleure amie. Celle-ci venait de déménager. Elle lui avait confié sa poupée afin qu'elles aient un bon prétexte pour se revoir.

— Je ne sais pas. Tu ne te souviens pas dans laquelle tu l'as mise ?

— Moi ? Mais je pensais que c'était toi qui l'avais prise.

— Oh, mon Dieu ! Quand je suis allée dans ta chambre, je ne l'ai pas vue sur ton lit. Et j'ai cru que tu l'avais déjà empaquetée.

Éva plaqua une main sur sa bouche.

— Oh, je l'ai oubliée en bas sur le canapé, hier soir ! Elle doit être complètement trempée !

— On ne peut plus rien y faire. Nous irons la chercher dès que l'eau aura baissé.

— Marine ne me le pardonnera jamais ! Elle ne voudra jamais plus me voir !

Mme Caron ébouriffa ses cheveux châtains et l'embrassa sur la tête.

— Bien sûr que si, voyons. C'est un accident. Tu ne l'as pas fait exprès !

Éva ne fut qu'à moitié rassurée. Marine adorait cette poupée blonde qui avait appartenu à sa grand-mère.

Sa mère finit de ranger ses vêtements et descendit. Éva se laissa tomber sur le lit, découragée. Elle pensa avec nostalgie aux bons moments qu'elle avait partagés avec Marine. Comme elle regrettait que son amie soit partie habiter si loin !

Soudain, la porte de la chambre s'ouvrit à toute volée et une fille brune fit irruption dans la pièce.

— Oh, j'ai oublié que tu avais pris ma chambre ! s'excusa-t-elle aussitôt.

— Oh… euh, bonjour, Rachel, répondit Éva sans même penser à la remercier.

— On va enfin pouvoir faire connaissance, maintenant que tu habites ici, continua gaiement Rachel.

Éva haussa les épaules, trop abattue pour manifester la moindre gentillesse envers cette fille qui n'était pas son amie.

— Pourquoi pas…

Rachel rougit. Son sourire disparut.

— Tu n'as pas l'air ravie de ma proposition. Dire que j'ai rangé ma chambre à fond pour toi ! Tu comptes rester longtemps, ici ? Parce que ça ne m'amuse pas de camper dans le grenier !

— Je ne sais pas, bredouilla Éva. Tant que ma maison ne sera pas habitable…

« Si ça ne tenait qu'à moi, on rentrerait dès demain ! » songea-t-elle.

— Rachel ! appela Patricia depuis le rez-de-chaussée. As-tu dit à Éva que le petit déjeuner était prêt ?

— Oui, on arrive ! répondit Rachel. Je suppose que t'as entendu ? grommela-t-elle à l'intention d'Éva.

Et sans attendre sa réponse, elle sortit en courant et dévala l'escalier.

Éva poussa un gros soupir. Rachel lui en voulait de lui avoir pris sa chambre et était pressée de la voir partir. Les prochaines semaines s'annonçaient difficiles !

Au moment où elle se résignait à la suivre, un éclair aveuglant illumina la pièce. Éva se frotta les yeux. Quand elle les rouvrit, elle vit devant elle un minuscule chiot à la tête toute ronde, aux oreilles pointues et à l'épaisse fourrure beige.

Il leva vers elle d'immenses yeux bleu saphir.

— Peux-tu m'aider, s'il te plaît ? aboya-t-il.

2

Éva le regarda, muette de stupéfaction. Cette peluche appartenait-elle à Rachel ? N'était-elle pas un peu grande pour s'amuser avec des jouets qui parlent ?

— Bonjour. Que tu es beau ! s'étonna-t-elle tout haut. Je n'ai jamais vu un chien comme toi. Tu ressembles à mon ours en peluche. Mais à qui es-tu ?

— À personne, voyons ! Je m'appelle Foudre

et j'appartiens au clan de la Lune Griffue. Quel est ton nom ?

— Tu... tu parles vraiment ? bafouilla Éva.

Foudre hocha la tête. Malgré sa petite taille, il ne semblait pas du tout intimidé. Le regard interrogateur, les oreilles dressées, il attendait sa réponse.

— Je m'appelle Éva. Éva Caron. J'habite ici avec mes parents parce que notre maison a été inondée.

Elle s'agenouilla pour paraître moins imposante. Éva n'arrivait toujours pas à croire ce qu'il lui arrivait. Mais elle ne voulait pas risquer de lui faire peur.

Il inclina la tête.

— Je suis très honoré de faire ta connaissance, Éva.

— Euh... moi aussi. Mais c'est quoi, le clan de la Lune Griffue ?

— C'est la meute de loups que mon père et ma mère commandaient autrefois, répondit-il avec fierté. Hélas, Ténèbre, un loup féroce et solitaire, les a détrônés. Il a tué mon père et mes trois frères de portée, et il a blessé ma mère. Heureusement, les autres loups refuseront de se soumettre tant que je serai vivant.

— Attends ! C'est bien de loups que tu me parles ? Pourtant tu n'es qu'un petit tout...

— Recule un peu !

Éva n'eut que le temps de se redresser : un nouvel éclair l'aveugla, suivi d'une pluie d'étincelles qui retombèrent autour d'elle.

Là où elle avait vu le chiot apparut un jeune loup majestueux à l'épaisse fourrure argentée et à la collerette couverte de paillettes dorées.

Éva jeta un œil inquiet sur ses crocs pointus et son corps musclé.

— C'est toi, Foudre ?

— Oui, Éva, la rassura-t-il d'une voix de velours. N'aie pas peur. Je ne te ferai aucun mal.

Et, dans un nouvel éclair, il se transforma en minuscule chiot sans défense.

— Waouh ! Tu es vraiment un loup ! Ton déguisement est fabuleux !

Foudre baissa la queue et se mit soudain à trembler.

— Il ne me protégera pas si jamais Ténèbre

me retrouve, gémit-il. Je dois me cacher. Tu veux bien m'aider ?

Tout attendrie, Éva le prit dans ses bras et caressa sa petite tête. Sa fourrure était douce comme du coton.

— Bien sûr que je vais t'aider ! Tu pourras vivre dans ma cham…

Elle s'arrêta net en se rappelant où elle était.

— Oh ! On ne me permettra peut-être pas de te garder. Je ne suis pas chez moi. Et j'ignore si les amis de mes parents aiment les animaux.

— Je comprends. En tout cas, merci de ta gentillesse. Je vais chercher quelqu'un d'autre.

Il se tortilla pour qu'elle le repose par terre, mais elle le retint. Il lui faisait oublier tous ses ennuis. Marine lui manquait, Rachel ne voudrait sans doute plus lui parler après leur dispute. Alors, pas question de laisser partir cet adorable chiot.

— Attends une minute ! Il doit bien y avoir une solution. Je vais aller en parler à mes parents. Ils ont toujours de bonnes idées. J'ai hâte de voir leur tête quand je leur raconterai ton histoire !

Le petit chien la regarda d'un air grave.

— Non, Éva. Tu ne dois rien dire à personne ! Promets-le-moi.

Éva fut déçue, mais elle se sentait prête à tous les sacrifices pour le protéger.

— Je te donne ma parole. Croix de bois, croix de fer. Mais comment je vais faire pour te garder ?

— Garder qui ? demanda son père en passant la tête par l'entrebâillement de la porte. Qu'est-ce que tu attends pour desc… Dieu du ciel ! Mais où as-tu trouvé ce chiot ?

Éva faillit s'évanouir. Elle ne l'avait pas entendu arriver.

— Euh… je… j'ai trouvé Foudre quand… quand on est descendus du bateau, mentit-elle. Il a dû être emporté par l'inondation. Il était complètement perdu. Alors je l'ai pris… je me sens si seule depuis que Marine est partie. J'ai eu peur que vous refusiez qu'il reste avec moi. Aussi je l'ai caché sous mon manteau.

Elle finit sa phrase avec un air coupable.

— Tu m'étonneras toujours, Éva Caron ! Je n'ai vraiment rien vu, ni quand tu l'as ramassé, ni quand tu es montée dans la voiture.

— Oui, j'ai fait super vite. Je suis désolée. Ce n'était pas très honnête de ma part, ajouta-t-elle en se mordillant la lèvre.

— C'est le moins qu'on puisse dire ! soupira son père, mais son regard pétillait. Je ne sais pas ce que Patricia et Marc en penseront, mais il faut leur en parler.

— Tu ne trouves pas que Foudre est adorable ? insista-t-elle. Est-ce que tu as déjà vu une boule de poil pareille ? Il est tellement doux ! Caresse-le.

Son père se pencha et gratouilla Foudre sous le menton. Le chiot remua la queue et se pressa contre lui pour quémander d'autres caresses. M. Caron sourit.

— En tout cas, ce n'est pas un chien ordinaire. Je me demande de quelle race il est. J'adore son nom. Il lui va vraiment bien.

— Alors, tu vas demander à Patricia et à Marc s'il peut rester ? Je m'occuperai de lui, j'irai le promener et je lui achèterai à manger avec mon argent de poche. Et après, quand on retournera à la maison, il viendra vivre chez nous.

— Tu t'es vraiment attachée à ce petit chien, dis-moi ?

— Oui, je l'adore.

— Eh bien, je vais essayer de plaider ta cause. Mais si Patricia et Marc refusent, je ne veux pas de discussions, promis ?

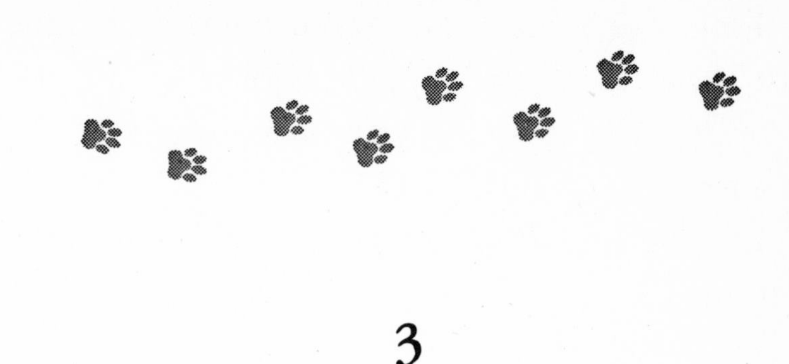

3

— Bien sûr que tu peux le garder, la rassura Patricia dès qu'Éva raconta comment elle avait trouvé Foudre. Ça ne me gêne pas du tout. Et toi, Marc ?

— Moi non plus. C'est toi le chef, plaisanta-t-il.

Éva leur adressa un sourire rayonnant.

— Oh, merci beaucoup ! s'écria-t-elle en serrant Foudre dans ses bras.

Foudre lui donna un grand coup de langue sur le nez et se mit à japper de joie.

— Quelle chance ! Cet endroit est sûr. Je suis content.

Éva sursauta. Il venait de parler devant tout le monde !

Pourtant, alors qu'elle s'attendait à des cris d'étonnement, personne ne réagit.

Foudre la regarda d'un air malicieux.

— Il n'y a que toi qui peux me comprendre.

Éva lui sourit tendrement. Son nouvel ami se révélait plein de surprises. Elle se demandait de quoi il était encore capable.

Sa mère se pencha pour le caresser.

— Foudre a l'air content de pouvoir rester ici. On croirait qu'il comprend tout ce qu'on dit.

Éva se retint de rire. Si sa mère savait !

Rachel restait muette. Elle mangeait, la tête penchée sur son assiette, le visage à moitié caché par ses cheveux.

— Surtout, ne me demandez pas ce que j'en pense ! marmonna-t-elle. Apparemment, mon avis n'intéresse personne.

Patricia dévisagea sa fille avec étonnement.

— Je croyais que tu serais ravie d'avoir un petit chien dans la maison, depuis le temps que tu nous en réclames un !

— Justement, vous ne m'avez jamais permis d'en avoir. Alors pourquoi elle a le droit, elle ?

— Si cela doit poser un problème, on peut amener Foudre à la SPA, murmura la mère d'Éva, très embarrassée.

— Non, c'est impossible ! s'affola Éva. J'ai promis à Foudre de... enfin, je me suis juré de m'occuper de lui. Je dois le garder !

— Voyons, Éva, sois raisonnable, intervint son père. Souviens-toi de ce que nous avons dit. Ce n'est pas à toi de décider !

Éva fit un gros effort pour se taire. Elle ne voulait pas aggraver la situation. Mais elle mourait de peur que les Girard changent d'avis devant la réaction de leur fille.

— Voyons, Rachel ! dit doucement Mme Girard en ébouriffant les cheveux de sa fille. Pense à Éva. Ce serait sympa que ce petit chien lui tienne compagnie pendant son séjour chez nous. Tu imagines, si ta maison avait été inondée !

— Bon, d'accord ! grommela Rachel.

Éva poussa un énorme soupir de soulagement. Elle se tourna vers Rachel pour la remercier. Celle-ci fixait de nouveau la table, les lèvres pincées, le visage rouge tomate. Elle avait visiblement accepté à contrecœur. Et elle était furieuse.

— Merci beaucoup, Patricia, ce petit déjeuner était délicieux, dit poliment Éva en sortant de table.

Elle alla poser son assiette dans l'évier et se tourna vers son père.

— Je peux emmener Foudre en promenade ?

Au mot « promenade », le chiot se leva d'un bond et remua la queue, les yeux pétillant d'impatience.

— Bien sûr. Regarde, il a l'air pressé de sortir.

— Tu n'as qu'à aller au parc, lui conseilla Patricia. C'est juste à côté. Nous sommes passés devant à l'arrivée. Tu vois où il se trouve ?

Éva hocha la tête.

Son père plongea la main dans sa poche et en sortit quelques pièces de monnaie.

— Tiens, cela te permettra d'attendre ton argent de poche du week-end. Tu n'auras qu'à profiter de votre balade pour acheter de la pâtée.

— Merci, papa. À plus tard, tout le monde.

— Au revoir, répondirent-ils en chœur, sauf Rachel qui continuait à bouder.

— Ouf! s'écria Éva dès qu'elle fut seule avec Foudre. Je suis contente d'aller prendre l'air. Tu as vu Rachel? Elle n'a pas arrêté de me fusiller du regard pendant tout le repas.

— Pourquoi?

Éva haussa les épaules.

— Ses parents ont toujours refusé qu'elle ait un chien, alors elle est jalouse. Je ne comprends pas comment des gens aussi gentils peuvent avoir une fille aussi désagréable !

— Moi, j'ai plutôt eu l'impression qu'elle avait de la peine.

— Tu crois ? Enfin, tant pis pour elle ! Bon, le parc doit être par là, tu viens ?

— Ça sert à quoi, un parc ?

— C'est un grand espace vert ouvert à tout le monde avec un terrain de jeux pour les enfants. Tu pourras courir autant que tu voudras.

Les yeux de Foudre s'illuminèrent.

— C'est ce que je préfère !

Deux minutes plus tard, Éva et Foudre franchissaient les grilles. Ils passèrent devant l'aire de jeux délimitée par une petite palissade bordée d'une plate-bande de tulipes et de jonquilles.

— Ouaf! Ouaf! aboya Foudre en se mettant à courir dans tous les sens.

Éva le regarda renifler toutes sortes d'odeurs très excitantes. Elle trouva un paquet de chips vide. Elle le roula en boule et le lui lança.

Ils jouèrent ainsi un long moment en se promenant à travers le parc. Quand ils revinrent vers la sortie, Foudre haletait, sa petite langue rose pendante.

— Si on allait t'acheter à manger, maintenant ? proposa Éva. Tu dois mourir de faim, non ?

— Oh oui!

Alors qu'ils allaient repasser devant le terrain de jeux, Éva remarqua deux garçons qui chahutaient comme des idiots sur le toboggan. Le meneur, un grand blond maigre aux cheveux courts, devait avoir dans les quatorze ans. Il était accompagné d'un petit brun plus trapu.

Ils se donnèrent un coup de coude en voyant Éva.

— Oh, oh! murmura-t-elle, soudain inquiète.

4

Foudre dressa les oreilles.

— Qu'est-ce qui ne va pas ?

Elle n'eut pas le temps de lui répondre : un des garçons l'interpellait.

— Dis donc, fais un peu voir ton clébard ! Mon pote Quentin a perdu un chiot exactement comme lui.

Éva frissonna en voyant les deux garçons descendre du toboggan et s'avancer vers elle.

Elle songea à partir en courant. Non, ils étaient beaucoup plus grands qu'elle. Ils la rattraperaient vite. Elle leva bravement le menton, décidée à leur tenir tête.

— Ce chien est à moi, protesta-t-elle.

Elle se pencha vers Foudre et lui glissa à voix basse :

— Reste bien près de moi. Ils cherchent la bagarre.

Il hocha la tête et plissa les yeux.

Le dénommé Quentin, qui portait un jean et des baskets hors de prix, s'accroupit devant

Foudre et tapa sur ses cuisses pour qu'il vienne se faire caresser.

— Viens ici, mon toutou. Allez, viens… euh, Fripouille !

— Il ne s'appelle pas Fripouille. Il s'appelle Foudre.

— Ça, c'est toi qui le dis, ricana Quentin. Qu'est-ce que tu fiches avec mon chien ?

— Il n'est pas à toi. Il est à moi !

Une grimace déforma le visage maigre du garçon.

— Prouve-le ! D'abord, il est de quelle race ? Paul, combien tu paries qu'elle en sait rien ? lança-t-il à son copain.

Il avait raison. Elle l'ignorait. Mais une chose était sûre, elle ne laisserait pas ces deux brutes toucher un poil de Foudre.

— Foudre, je veux dire Fripouille, est d'une race très rare, poursuivit-il en lui barrant le passage. C'est un chiot akita. Et comment je le saurais si c'était pas le mien ? conclut-il d'un ton triomphal.

Éva s'en moquait comme de sa première chaussette, mais elle décida sagement de ne pas répondre.

— Quentin sait tout sur les chiens, l'informa Paul. Tu ferais mieux de lui donner le clebs tout de suite.

— Tu peux toujours courir ! explosa Éva. Foudre n'est pas à toi. Ça suffit ! Viens, Foudre, on s'en va.

— Tu vas le regretter, chantonna Paul en lui coupant la route.

— Laisse-moi tranquille ! Cours, Foudre !

Trop tard ! Quentin la poussa brutalement en arrière. Elle se cogna le genou contre le toboggan et s'effondra.

Quentin en profita pour s'emparer brutalement du chiot. Foudre jappa de douleur et se tortilla, tentant de se libérer. Soudain, un grondement monta de sa gorge et ses yeux lancèrent des éclairs.

Un picotement parcourut le dos d'Éva, mais elle le remarqua à peine tant son genou la faisait souffrir.

— Laisse mon chien tranquille, espèce de brute ! hurla-t-elle.

— Tu m'fais pas peur !

En revanche, Paul, lui, commençait à avoir la frousse.

— On ferait mieux de dégager, Quentin. Je crois qu'elle s'est fait mal.

— Elle joue la comédie... Mais c'est quoi, ça ? brailla-t-il en contemplant ses mains.

Elles étaient si enflées et violacées qu'on aurait dit des gants en plastique gonflés à bloc.

— Je dois être allergique à ce maudit chien ! Tiens, reprends-le, ton sale clébard !

Sur ces mots, il colla Foudre dans les bras d'Éva qui se relevait péniblement.

Elle vit alors Rachel au loin qui courait vers eux et criait aux garçons :

— Mais qu'est-ce qui se passe ici ? Fichez le camp ! Attaquer une fille ! Un chiot ! Vous êtes des lâches !

— Pfff! Y en a qui n'ont vraiment pas le sens de l'humour ! se lamenta Quentin. Viens, Paul, on se casse.

Les garçons s'éloignèrent en traînant les pieds. Quentin essayait de remuer ses doigts toujours boursouflés.

Tandis que Rachel se rapprochait, Éva se laissa tomber sur le rebord du toboggan, vidée après toutes ces émotions. Elle avait la tête qui tournait et son genou la faisait terriblement souffrir.

Foudre s'avança vers elle.

— Merci de m'avoir défendu, Éva. Mais tu t'es fait mal ! s'écria-t-il en la voyant pâlir. Je vais te guérir !

Éva sentit un picotement lui parcourir le dos, mais beaucoup plus fort, cette fois-ci.

Le temps parut s'arrêter.

La fourrure du chiot se mit à briller de mille étincelles dorées et ses oreilles pointues crépitèrent d'électricité.

Foudre posa une patte sur le genou blessé. Une nuée de paillettes en jaillit. Elles s'enroulèrent autour de l'articulation en formant une sorte de bandage magique. Éva sentit son genou la brûler puis, subitement, la douleur disparut, comme aspirée.

— Oh, merci, Foudre ! Je ne sens plus rien. Et tu as donné une bonne leçon à Quentin. Je n'avais jamais vu des mains pareilles !

— Je te rassure, elles retrouveront bientôt leur aspect normal. Mais dis-moi, on ne devait pas aller m'acheter à manger ? demanda-t-il en inclinant la tête d'un air espiègle.

C'est alors que Rachel les rejoignit, hors d'haleine.

— Ces deux fléaux sont dans mon école. Ils n'arrêtent pas d'embêter les autres. Ils ne t'ont pas fait mal, j'espère ?

— Non, non, ça va. Quel dommage que Marine n'ait pas été là ! C'est une coriace. Elle ne les aurait jamais laissés m'attaquer !

Le sourire de Rachel s'envola.

— Je venais te montrer où sont les magasins, mais je vois que tu n'as pas besoin de mon aide !

Sur ces mots, elle tourna les talons et quitta le parc à grands pas.

Éva la suivit des yeux sans comprendre. Qu'est-ce qu'elle avait encore dit de mal ? Rachel était vraiment trop susceptible !

— Viens, Foudre. On se débrouillera tout seuls.

Le chiot lança un regard contrarié vers Rachel, puis il suivit Éva.

Dès son retour chez les Girard, Éva remplit un grand bol de pâtée et Foudre se jeta dessus, affamé.

La pièce sentait encore les tartines grillées et le café. Ses parents feuilletaient le journal tout en écoutant la radio.

— Alors, vous vous êtes bien promenés ? demanda sa mère quand elle s'assit à côté d'eux. Rachel est allée vous retrouver. Vous l'avez vue ?

— Oui, mais elle est partie de son côté. Elle devait avoir des trucs à faire.

Éva ne fit aucune allusion aux deux garçons. Elle détestait rapporter.

Arriva le bulletin d'informations à la radio. Tout le monde se tut pour écouter.

— Il semble que le niveau de l'eau baisse rapidement, annonça son père avec un grand sourire. Nous pourrons bientôt aller à la maison constater les dégâts.

— Et on rapportera Émilie pour lui donner un bon bain et lui faire un brushing, promit sa mère

Éva éprouva un petit pincement de culpabilité. Marine lui manquait beaucoup moins depuis l'arrivée de Foudre. Mais à la mention de la poupée, elle se demanda de nouveau ce que dirait son amie si Émilie était perdue.

5

— Il vaut mieux laisser Foudre ici, déclara la mère d'Éva, quand ils décidèrent d'aller inspecter leur maison, deux jours plus tard. Il risque de se mouiller et de se salir, là-bas.

Ils devaient emprunter la voiture des Girard pour s'y rendre. Éva était toujours très inquiète au sujet d'Émilie, mais Foudre avait promis de l'aider à la retrouver.

— Bien sûr, acquiesça Patricia. Rachel ira le promener quand elle rentrera de l'école, si tu veux.

— Ça me va ! glissa Foudre à Éva.

Éva était étonnée. Il avait l'air de bien aimer Rachel, malgré ses sautes d'humeur. Quoi qu'il en soit, elle n'avait aucune intention de partir sans Foudre. Mais comment se débrouiller ?

Elle fit semblant de relacer sa chaussure et se pencha vers le chiot.

— Je préfère que tu viennes avec moi, insista-t-elle à voix basse. Comment on peut faire ?

— Raconte que tu as oublié quelque chose dans ta chambre, répondit-il dans un jappement.

— Je vous retrouve tout de suite à la voiture, lança-t-elle à ses parents avant de s'engouffrer dans l'escalier.

— As-tu un sac dans lequel je pourrais me cacher ? demanda Foudre dès qu'ils arrivèrent dans la chambre.

Elle prit son sac de classe et le vida. Son école était toujours fermée pour cause d'inondation.

Foudre sauta à l'intérieur.

— Tu devras rester bien sage, et pas question de te montrer ! Sinon mes parents te laisseront dans la voiture.

— Ne t'inquiète pas. Grâce à mes pouvoirs magiques, je peux faire en sorte que tu sois la seule à me voir.

— Tu peux te rendre invisible ? Alors il n'y a plus de problème ! Je vais dire à Patricia que tu dors. Et si jamais Rachel te cherche en rentrant de l'école, on pourra toujours prétendre que tu t'étais caché.

— Parfait, approuva le chiot.

Éva mit son sac en bandoulière et descendit retrouver ses parents.

Vingt minutes plus tard, les Caron découvraient avec horreur les ravages de l'inondation. Bien sûr, Éva savait que tout serait trempé. Mais elle n'imaginait pas qu'une couche de boue pestilentielle recouvrirait tout.

— Quel désastre ! murmura sa mère. Tous les meubles sont fichus. Il va falloir refaire entièrement la cuisine et la salle de séjour.

— Ç'aurait pu être pire, essaya de la consoler son mari en lui passant un bras autour de la taille. Au moins, nous sommes tous sains et saufs.

Ils se mirent à parler d'assurances et d'un appareil appelé déshumidificateur, qui aiderait les murs à sécher. Éva en profita pour s'éloigner.

— Allons chercher Émilie, chuchota-t-elle à Foudre, qui avait sorti la tête de son sac.

Équipée de grandes bottes en caoutchouc, elle se dirigea vers le salon, en essayant de ne pas trébucher sur les livres, les coussins et autres objets qui encombraient le sol. Une forte odeur de moisi montait des meubles imbibés d'eau.

Foudre regardait autour de lui avec curiosité, comme s'il essayait d'imaginer à quoi la maison ressemblait jusqu'à l'inondation.

— Tu ne pourrais pas te servir de ta magie pour que notre maison redevienne comme avant ? demanda soudain Éva.

— Si, bien sûr. Mais je trahirais ainsi ma présence et je serais forcé de partir.

— Alors, surtout pas ! Je veux que tu restes avec moi pour toujours ! protesta-t-elle, accablée à l'idée de le perdre. Je suis stupide de te demander ça. Surtout que mes parents ont l'air de très bien s'en sortir. Cherchons plutôt Émilie.

Foudre hocha la tête.

Hélas, Éva ne trouvait aucune trace de la poupée. Elle venait de regarder sous le canapé, quand elle aperçut un morceau de tissu bleu qui flottait dans la boue. Elle le ramassa.

— C'est le ruban qui attachait ses cheveux ! Elle ne doit pas être loin.

Le chiot renifla le tissu en plissant le museau.

— Je vais la retrouver ! aboya-t-il en prenant son élan pour sauter du sac.

— Non ! Arrête ! Tu vas t'enfoncer dans la boue.

— Ne t'inquiète pas, ma magie va me protéger, la rassura-t-il en agitant la queue.

Paf! Un nuage d'étincelles l'enveloppa. Ploc ! Une bulle transparente se forma autour de lui. Préservé par cette coque souple qui suivait le moindre de ses gestes, il atterrit sur la boue.

— C'est incroyable ! gloussa Éva.

— Quoi donc, ma chérie ? demanda sa mère, derrière elle.

— Euh... la façon dont toute l'eau a disparu. On n'imaginerait pas que c'était une piscine il y a quelques jours.

— Oui. Et avec un peu de chance, dans deux ou trois semaines, il n'y paraîtra plus. Mais dis-moi, tu n'as pas retrouvé Émilie ?

— Non, toujours pas. Je vais aller voir dehors, ajouta Éva en voyant Foudre sortir. L'eau l'a peut-être emportée dans le jardin.

— Fais bien attention où tu poses les pieds. Je monte à l'étage prendre quelques affaires.

Foudre s'était arrêté devant un massif détrempé et reniflait les fleurs couchées par terre. Soudain, il se mit à creuser la boue et poussa un jappement triomphal.

— Ouaf!

— Tu l'as trou...

Éva resta muette à la vue de la pauvre poupée. Non seulement elle était couverte de terre, ses beaux cheveux blonds complètement emmêlés, mais un de ses bras pendait d'une façon inquiétante !

6

L'après-midi, Éva resta seule chez les Girard. Patricia et Marc travaillaient, ses parents étaient en ville pour racheter du mobilier et des appareils domestiques. Dehors, il faisait un temps gris et triste. Assise sur le canapé, Foudre couché à côté d'elle, elle essayait d'arranger la poupée.

— Pauvre Émilie ! J'ai bien cru que je ne te reverrais jamais. Heureusement que tu étais là, Foudre. Merci de l'avoir retrouvée.

Il ouvrit un œil et bâilla.

— Je suis content d'avoir pu t'aider.

Il la regarda avec curiosité essayer de démêler les cheveux d'Émilie. Il ne restait rien de ses belles boucles soyeuses et, depuis leur séjour dans la boue, ses yeux ne s'ouvraient plus guère. Heureusement, le père d'Éva avait réussi à réparer son bras.

Éva entendit la porte d'entrée s'ouvrir et se refermer. Puis elle reconnut le bruit sourd du cartable que Rachel laissa tomber dans le couloir. Son école n'avait pas été atteinte par les inondations, contrairement à celle d'Éva.

Foudre sauta aussitôt du canapé, tous ses sens en alerte. Il remua la queue en voyant Rachel.

Elle s'accroupit pour le caresser.

— Bonjour, Foudre. Moi aussi, je suis contente de te voir.

Elle se tourna vers Éva et fit la grimace en voyant la poupée.

— Tu perds ton temps avec cette horreur. Elle est irrécupérable !

— Tu crois que je ne le sais pas ! rétorqua Éva d'un ton plus sec qu'elle ne le voulait. T'imagines ce que Marine va dire quand elle la verra !

Rachel leva les yeux au ciel.

— Voyons, une fille parfaite comme elle… Elle ne te reprochera rien !

Sur ses mots, Rachel rejeta ses cheveux dans son dos et quitta la pièce.

Éva se tourna vers Foudre, déconcertée.

— Quelle peste, par moments !

— Moi, je la trouve plutôt gentille. La preuve, elle t'a laissé sa chambre. Je crois qu'elle voudrait devenir ton amie, mais qu'elle ne sait pas comment s'y prendre.

— Mais je n'ai pas besoin d'elle ! J'avais Marine et maintenant tu es avec moi. Tu me suffis largement.

— Je ne serai pas toujours là, lui rappela-t-il, la mine grave. Tu sais bien qu'un jour je repartirai dans mon pays diriger le clan de la Lune Griffue.

Éva sentit son cœur se glacer.

— Oui, mais ce n'est pas près d'arriver, n'est-ce pas ? murmura-t-elle d'une petite voix.

— Je resterai aussi longtemps que je le pourrai, promit-il.

— Tout va bien, alors !

Rassurée, elle le caressa, un grand sourire aux lèvres. Mais elle ne pouvait s'empêcher de penser à sa solitude avant sa rencontre avec Foudre. « Ce serait chouette d'avoir une autre amie de mon âge, maintenant que Marine est partie habiter si loin », songea-t-elle.

Le samedi matin, Éva fut réveillée par un beau soleil. Foudre était couché contre elle. Elle le caressa doucement, puis repoussa sa couette.

— Si on allait se promener avant le petit déjeuner ?

Foudre sauta d'impatience autour d'elle pendant qu'elle enfilait un pull et un jean. Alors qu'ils descendaient l'escalier, des voix leur parvinrent de la cuisine.

— As-tu des projets pour le week-end ? demandait Patricia à sa fille. Pourquoi n'emmènerais-tu pas Éva jouer au tennis ou faire une balade à vélo ?

— Ça m'étonnerait qu'elle accepte.

— Moi qui croyais que vous alliez bien vous entendre ! Donne-lui un peu de temps, Rachel.

Mets-toi à sa place. Elle n'a plus de maison et sa meilleure amie a déménagé. Je suis sûre qu'elle n'est pas méchante.

— En attendant, il vaut mieux que je m'occupe de mon côté, soupira Rachel en se dirigeant vers l'escalier.

Éva remonta aussitôt, toute honteuse.

Foudre la rejoignit sur le palier, perplexe.

— Qu'est-ce qui ne va pas, Éva ?

— Je m'aperçois que je n'ai pas été gentille avec Rachel. Je m'en veux. Je ne suis pas comme ça, d'habitude.

— Je le sais, Éva. Sinon, je ne serais pas ton ami.

— Heureusement que tu me comprends. Tu crois que Rachel me donnera une deuxième chance ?

Il hocha la tête et remua la queue, ravi.

— Comment pourrais-je me faire pardonner ? Oh, je sais ! Et si je lui proposais un tennis ? Ah, non ! Ma raquette est à la maison !

— Ça, ce n'est pas un problème !

Éva sentit un picotement familier lui parcourir le dos. Des étincelles jaillirent de la fourrure de Foudre et retombèrent en cascade sur Éva.

Zou ! Son jean disparut et elle se retrouva en tennis, en short et en tee-shirt blancs, une raquette à la main.

— Waouh ! Tu es un champion, Foudre !

La dernière étincelle venait de s'éteindre quand Rachel arriva sur le palier. Elle regarda Éva, bouche bée.

— Qu'est-ce que tu fais en tenue de tennis ?

— Eh bien, je te cherchais. Euh… je.. je pensais que ça te plairait peut-être de faire une partie avec moi. Je crois qu'il y a des courts dans le parc, non ?

Elle ponctua sa question d'un grand coup de raquette qui siffla dans l'air.

Un sourire illumina le visage de Rachel.

— Une seconde ! Je vais me changer !

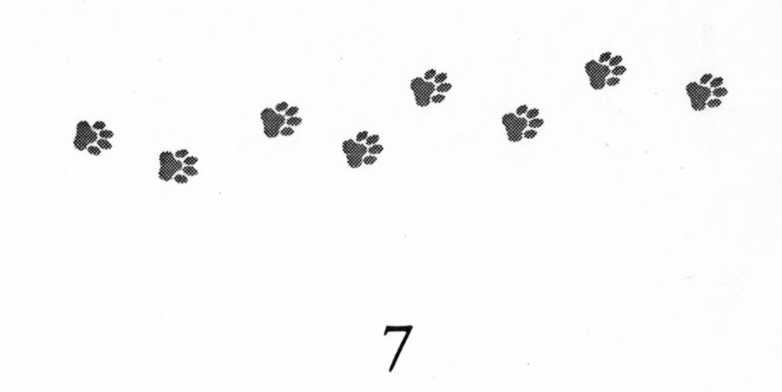

7

La partie fut acharnée. Les deux filles étaient de même niveau. Rachel finit par l'emporter. Elles prirent le chemin du retour. Foudre courait devant elles en reniflant le gazon.

Éva aperçut un groupe de garçons qui jouaient au foot un peu plus loin et reconnut avec angoisse Quentin et Paul.

Rachel les vit, elle aussi.

— Oh, oh ! Encore eux ! Quelle poisse ! Bon, on fait comme si on ne les avait pas vus.

— Hé, Rachel ! cria Paul. Vous n'auriez pas besoin qu'on promène votre chien ?

— Ouais. On viendrait le chercher chez vous. On vous prendrait pas cher ! renchérit Quentin.

Les autres garçons éclatèrent de rire.

— Très drôle ! se moqua Rachel en haussant les épaules.

Finalement, les garçons reprirent leur partie de foot et elles rentrèrent sans encombre.

— Tu es prête pour notre balade à bicyclette ? demanda M. Girard à sa fille, le lendemain matin.

— J'arrive ! Dis, Éva, ça ne t'ennuie pas que je t'abandonne ?

Éva était assise sur le canapé, Foudre sur les genoux. Ses parents étaient retournés voir leur maison. Elle n'avait pas voulu les accompagner : la vue des pièces débarrassées de leurs meubles, de leur moquette et de leur papier peint la déprimait trop.

— Ne t'inquiète pas. Je vais tout faire pour arranger Émilie, même si c'est perdu d'avance.

Rachel hocha la tête et alla rejoindre son père. Foudre sortit dans le jardin. Éva se leva et le suivit.

— Viens donc me tenir compagnie, l'appela Patricia, qui s'occupait de son potager. Tu peux me donner un coup de main, si tu veux.

Elle n'aimait pas tant que ça jardiner, mais Foudre avait besoin de prendre l'air. Et Émilie pouvait attendre.

— Tu n'as qu'à arracher les mauvaises herbes, suggéra Patricia, en lui montrant un carré planté de carottes et de poireaux.

Éva s'agenouilla, enfila les gants que Patricia lui tendait et se mit au travail, réconfortée par le soleil printanier qui lui chauffait le dos. Foudre partit en exploration. Quelques minutes plus tard, il revint s'asseoir près d'elle. Il la regarda un moment, puis se mit à sautiller autour d'elle en aboyant. Voyant qu'elle ne réagissait pas, il sauta sur le tas de mauvaises herbes qu'il dispersa sur le chemin. À bout de patience, il saisit la manchette de son gant entre ses petites dents pointues et tira.

— Grrr!

— Arrête! le gronda Éva en riant. Quel casse-pieds!

Patricia éclata de rire à son tour.

— Voyons, ce petit voyou veut jouer! Quel amour! C'est bien agréable de l'avoir à la maison.

— Je croyais que vous n'aimiez pas les chiens! s'étonna Éva.

— Pourquoi ça?

— Eh bien, vous ne voulez pas que Rachel en ait un.

— Justement, c'est parce que j'aime les animaux. Chacun de nous a un emploi et je trouve que ce n'est pas bien de laisser un chien seul à la maison toute la journée.

— C'est vrai. Et c'est dommage. Parce que si Rachel avait aussi un chien, on irait faire de longues promenades ensemble pour les sortir.

— Je suis contente de voir que vous vous entendez mieux.

Éva rougit.

— C'est ma faute si on s'est chamaillées au début.

— Il faut être deux pour se disputer. Rachel n'a pas toujours très bon caractère, mais elle a un cœur d'or.

— C'est ce que Foudre m'a dit… enfin, je veux dire que Foudre a aimé Rachel dès qu'il l'a vue, corrigea-t-elle à la hâte.

Heureusement, Patricia était perdue dans ses pensées.

— Tu sais, ça fait déjà un moment que j'envisageais de ne plus travailler qu'à mi-temps. Et grâce à cette petite conversation, ça y est, je suis décidée !

— C'est fabuleux ! Rachel pourra avoir un chien, alors ?

— Oui, mais surtout ne lui dis rien. Promis ?

— Promis.

Éva sentit qu'on tirait le bas de son jean. Foudre mordillait l'ourlet.

— Je peux m'en tenir là ? Je crois que Foudre a vraiment besoin d'aller se promener.

— Bien sûr. Merci pour ton aide.

Éva ôta ses gants de jardinage et repartit vers la maison. Elle aperçut deux vélos appuyés contre le mur. Rachel et son père étaient rentrés.

Elle monta se laver les mains.

— Il y a quelqu'un dans ta chambre, aboya Foudre quand ils passèrent devant.

Elle poussa la porte et surprit Rachel penchée sur sa poupée, une paire de ciseaux à la main !

Éva écarquilla les yeux d'horreur. Rachel était encore jalouse de son amitié avec Marine. Et elle s'apprêtait à se venger sur Émilie !

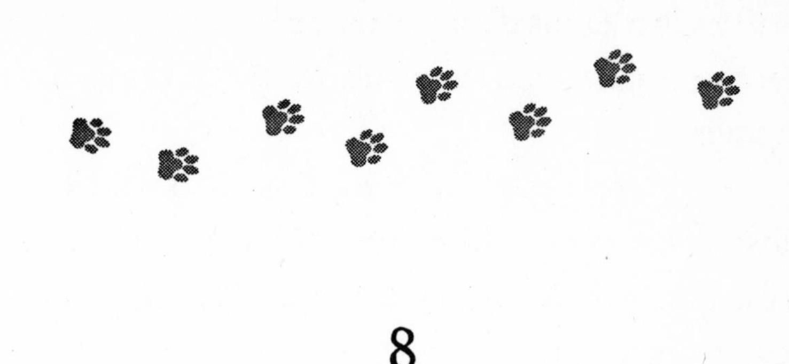

8

— Arrête ! Donne-moi cette poupée ! s'écria-t-elle en lui arrachant Émilie des mains.

— Qu'est-ce que j'ai fait de mal ? protesta Rachel.

Et soudain, elle rougit en comprenant ce qu'Éva pensait.

— Quoi ? Tu imaginais que j'allais la découper en morceaux ? Tu me crois donc si méchante ? Merci beaucoup !

— Mais qu'est-ce que tu faisais, alors ?

— Ça n'a plus d'importance ! rétorqua Rachel avant de partir en courant, les yeux remplis de larmes.

— J'y crois pas ! fulmina Éva. Moi qui pensais qu'on devenait amies. Mais qu'est-ce que c'est que ça ? demanda-t-elle en voyant Foudre sortir des plis de la couette un morceau de soie et un mètre de couturière.

Elle les examina en fronçant les sourcils.

— Qu'est-ce que Rachel voulait en faire ? Oh, non ! Je n'ai rien compris. Elle voulait coudre une nouvelle robe à Émilie ! Cette fois, j'ai vraiment tout gâché. Elle ne me le pardonnera jamais !

Éva fut très occupée les jours suivants. Les deux filles s'évitaient. En plus, Rachel allait en classe dans la journée et, le soir, Éva accompagnait ses parents dans leur maison. Les déshumidificateurs fonctionnaient à merveille.

— Je pense qu'on va bientôt rentrer chez nous, annonça Éva à Foudre alors qu'ils revenaient de l'animalerie où elle était allée lui acheter à manger. Rachel sera contente de récupérer sa chambre, continua-t-elle, encore triste de ce qui s'était passé. Et puis, tu verras, tu te plairas aussi chez moi. Foudre ? Foudre, tu entends ce que je dis ?

Le chiot s'était arrêté net. Il poussa un gémissement de terreur et s'engouffra dans l'allée d'une maison voisine.

Que se passait-il ?

Éva s'élança à sa suite et le vit disparaître sous une haie. Elle s'agenouilla. Tapi sous les branches, la queue enroulée autour des pattes, le chiot tremblait de tout son corps.

— Foudre ? Qu'est-ce qui ne va pas ?

— Ténèbre m'a retrouvé ! Il a lancé des chiens féroces à mes trousses.

Éva entendit alors des grondements et des aboiements dans la rue. Elle se retourna et vit un homme arriver avec deux gros chiens tenus en laisse. Elle remarqua qu'ils avaient les yeux très, très pâles et des dents très, très longues. Elle se plaqua derrière le portail. Les molosses voulurent entrer dans l'allée. Leur propriétaire réussit à grand-peine à les retenir. Enfin ils s'éloignèrent.

— C'est bon, Foudre, tu peux sortir de ta cachette.

Le chiot émergea lentement de la haie, le ventre au ras du sol.

Éva le prit dans ses bras et le caressa doucement. Son petit cœur battait la chamade.

— Ces horribles chiens sont partis. Le danger est passé, le rassura-t-elle.

— Non, je ne serai jamais plus en sécurité maintenant que Ténèbre m'a retrouvé. Il enverra d'autres chiens. Et la prochaine fois, je serai obligé de partir très vite. Je n'aurai peut-être même pas le temps de te dire au revoir.

— Si tu restais pour toujours avec moi, cet horrible Ténèbre arrêterait de te pourchasser ! s'écria-t-elle.

— Voyons, Éva, c'est impossible. Tu sais bien que je dois retourner parmi les miens, prendre la tête du clan de la Lune Griffue.

Éva opina, mais elle chassa aussitôt cette idée de ses pensées, bien décidée à profiter de chaque instant passé avec Foudre.

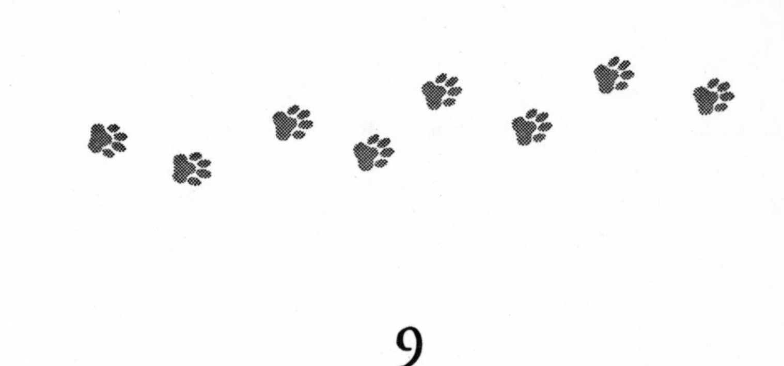

9

Le week-end promettait d'être chaud et ensoleillé, et Éva se sentait de très bonne humeur. Rachel ne lui parlait toujours pas, mais aucun chien féroce n'était venu rôder dans les parages : Foudre avait retrouvé sa joie de vivre.

Éva, sa mère et le chiot se promenaient sur le marché pendant que Rachel et ses parents faisaient des courses dans le centre commercial à côté. Éva avait glissé Émilie dans son sac, avec l'espoir de trouver des vêtements de poupée.

— Si je lui offre une nouvelle robe, Marine me pardonnera peut-être ce qui lui est arrivé, chuchota-t-elle à Foudre.

Sa mère s'arrêta pour acheter des fleurs à Patricia. Éva s'approcha d'un étalage de jouets.

— Oh, regarde ce chien en peluche, comme il te ressemble, Foudre ! Dis-moi : si je le prenais pour Rachel pour me faire pardonner ?

— Je crois que ça lui fera très plaisir. Mais est-ce qu'il te restera assez d'argent pour offrir une robe à Émilie ?

— Non. Qu'est-ce que je dois faire ? Dis donc, tu ne pourrais pas m'aider avec tes pouvoirs magiques ?

— La magie ne peut pas tout résoudre. C'est à toi de prendre la décision.

— Tu as raison. Désolée, ma pauvre Émilie, tu devras te contenter de ta vieille robe pour le moment.

Foudre remua la queue, ravi du choix de son amie.

Éva remarqua alors un peu plus loin un adolescent, avec une casquette de base-ball rouge, qui se détournait brusquement. Il sembla s'intéresser à un présentoir d'accessoires pour téléphone portable.

— J'ai l'impression d'avoir déjà vu ce garçon quelque part, murmura-t-elle.

— Moi aussi, c'est bizarre, aboya Foudre.

Éva paya la peluche et oublia le garçon. Des odeurs de hot dogs et de pizzas flottaient dans l'air. La foule grossissait. On avait de plus en plus de mal à circuler entre les stands. Éva craignit que Foudre se fasse marcher dessus.

— Il vaut mieux que je te porte, dit-elle en le prenant dans ses bras.

Il renifla la peluche et lui donna un coup de langue. Éva éclata de rire.

— Je ne crois pas qu'elle ait besoin de faire sa toilette !

Mais quand elle releva la tête, son sourire s'effaça. Le garçon à la casquette rouge arrivait en face d'elle et, avec un frisson de peur, elle reconnut Quentin, sans son copain Paul.

— T'es pas un peu grande pour jouer avec des poupées et des peluches ? ricana-t-il en montrant Émilie, dont la tête dépassait du sac.

— Qu'est-ce que ça peut te faire ? rétorqua-t-elle d'une voix tremblante.

Il fit un geste vers Foudre, mais se ravisa, se souvenant sans doute de sa mésaventure dans le parc. Et sans crier gare, il arracha la poupée du sac.

— Hé, rends-la-moi !

— Pour ce qu'elle vaut ! la nargua-t-il en faisant le geste de la jeter par terre.

— Arrête ! Elle est en porcelaine ! hurla Éva, affolée.

Au moment où il allait la lancer, une fille surgit derrière lui, lui arracha la poupée des mains et détala en direction du parking, derrière le marché.

C'était Rachel.

— Cours ! cria-t-elle à Éva.

Éva n'eut pas besoin qu'elle le lui dise deux fois. Elle fonça à son tour vers les voitures.

Arrivée derrière un gros camion, elle s'arrêta pour reprendre son souffle et chercher Rachel des yeux. Soudain, Foudre poussa un cri de terreur. Il se tortilla pour se dégager de ses bras et sauta par terre. Une seconde plus tard, il disparaissait derrière des véhicules. Éva vit alors deux énormes chiens s'avancer vers elle en grondant. Ils levèrent la tête. À la vue de leurs dents très,

très longues et de leurs yeux très, très clairs, elle sentit son cœur s'arrêter. Ils cherchaient Foudre !

Elle s'élança à sa poursuite. Elle venait de contourner des voitures quand un éclair l'aveugla. Foudre se tenait devant elle en jeune loup majestueux. Sa fourrure argentée scintillait et ses yeux brillaient comme des saphirs. Une louve au beau visage se tenait près de lui.

Éva comprit qu'il partait pour toujours. Elle devait se montrer courageuse.

— Vite, Foudre ! Sauve-toi ! cria-t-elle d'une voix enrouée.

Foudre tendit une patte en un geste d'adieu.

— Tu as été une fidèle amie. Tout va s'arranger pour toi.

Éva sentit sa gorge se nouer, tandis que les larmes lui montaient aux yeux.

— Au revoir, Foudre. Sois bien prudent. Je ne t'oublierai jamais.

Un nouvel éclair l'éblouit. Une pluie d'étincelles retomba autour d'elle. Foudre et sa mère s'estompèrent, puis disparurent. Dans un rugissement de colère, les chiens féroces retrouvèrent leur apparence normale et s'enfuirent.

Éva serra la peluche contre elle en réprimant ses larmes. Au moins avait-elle eu la chance de pouvoir dire adieu à Foudre. Elle n'oublierait jamais son ami aux pouvoirs magiques, ni les aventures merveilleuses qu'ils avaient partagées.

Rachel surgit de derrière une camionnette.

— Ah, te voilà ! Eh bien, Émilie l'a encore échappé belle !

Éva lui prit la poupée des mains et lui donna la peluche.

— Merci. J'ai pensé que ce petit chien te tiendrait compagnie en attendant que tu en aies un vrai.

« Ce qui ne saurait tarder », ajouta-t-elle intérieurement.

Rachel étreignit la peluche.

— C'est pour moi ? Oh, merci ! Il est adorable !

— Je me suis aperçue que je n'avais pas été gentille avec toi. Je te demande pardon. Tu veux bien qu'on devienne amies ?

— D'accord. Mais pour de bon, cette fois !

— Évidemment ! s'esclaffa Éva.

Une nouvelle amitié remplaçait celle qu'elle venait de perdre. Le poids qui lui écrasait le cœur s'envola : Foudre devait être très, très content s'il la voyait.

Découvre un extrait du tome 11 :

Des rêves plein la tête

les chiots magiques

Prologue

Le jeune loup argenté courait sur la glace. Le ciel s'était couvert de gros nuages sombres et il se mit à neiger. Foudre leva la tête. Un flocon atterrit sur son nez. Il le lapa d'un coup de langue, heureux de se retrouver chez lui.

Soudain un hurlement effrayant déchira le silence.

— Ténèbre !

C'était le féroce loup solitaire qui avait attaqué le clan de la Lune Griffue !

Il y eut un éclair aveuglant suivi d'une pluie d'étincelles. À la place du louveteau apparut un minuscule chiot trapu, aux yeux bleu saphir, aux courtes pattes et à l'épaisse fourrure noire.

Foudre détala ventre à terre. Son petit cœur cognait dans sa poitrine. Il espérait que ce déguisement le protégerait de son ennemi.

Il neigeait abondamment à présent. Foudre devait trouver une cachette, sans tarder. Il se dirigea vers une forêt de grands pins.

Alors qu'il se faufilait entre les troncs, une silhouette sombre se dressa devant lui. Foudre vit des yeux de loup briller derrière le rideau de neige. Il s'arrêta net, prêt à détaler.

— Foudre ! l'appela alors une voix douce. Vite, viens par ici !

— Mère !

Avec un soupir de soulagement, il se précipita vers elle.

— Que je suis contente de te revoir, mon fils ! murmura Perle d'Argent en léchant sa fourrure noire et son petit museau carré.

Foudre remua la queue et passa à son tour la langue sur le museau de sa mère.

— Je reviens prendre la tête du clan de la Lune Griffue !

Perle d'Argent esquissa un sourire de fierté qui laissa voir ses crocs pointus.

— Voilà qui est bravement parler ! Mais le moment est mal choisi. Ténèbre veut à tout prix devenir le chef de notre clan et tu n'es pas encore de taille à l'affronter. Quant à moi, je ne suis toujours pas remise de ma blessure empoisonnée.

Les yeux bleu saphir de Foudre s'obscurcirent de colère et de chagrin. Il n'avait pas envie de repartir, mais sa mère avait raison.

— Les autres loups refusent de suivre Ténèbre. Ils t'attendent. Retourne dans l'autre monde.

Tu reviendras quand tu seras plus fort et que tes pouvoirs magiques se seront développés.

Perle d'Argent frissonna soudain de douleur.

Foudre s'approcha et souffla sur elle un tourbillon de minuscules étincelles. Elles s'enroulèrent autour de sa patte blessée et s'enfoncèrent dans sa fourrure grise.

Sentant ses forces revenir, Perle d'Argent poussa un soupir de soulagement. Hélas, Foudre n'eut pas le temps de poursuivre ses soins. Un hurlement terrifiant retentit non loin d'eux. Il fut suivi d'un martèlement sourd. Un énorme loup surgit de derrière les arbres. Foudre l'entendait haleter.

— Ténèbre sait que tu es là. Vite, Foudre ! Sauve-toi ! le supplia Perle d'Argent.

Foudre gémit tandis qu'il rassemblait ses pouvoirs. Des étincelles parcoururent sa fourrure noire. Elle se mit à briller, briller, briller…

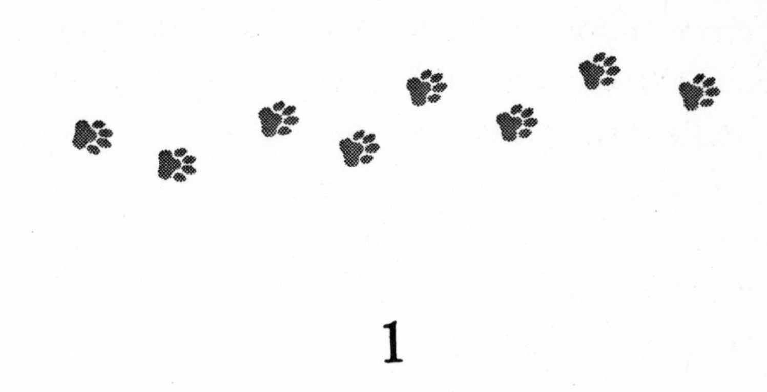

1

— J'ai hâte de demander à mes parents si je peux m'inscrire à l'Académie de patinage artistique ! s'écria Louise alors qu'elle quittait la patinoire avec Justine, sa meilleure amie.

— Ce serait génial ! s'exclama Justine. On irait ensemble aux cours. Tu verras, Marie, notre prof, est fantastique !

Justine se défendait déjà très bien : elle devait participer au spectacle qui aurait lieu dans quelques semaines.

— Avec le patinage, je m'évade de tout ce que j'ai connu ! reprit Louise. Cette fois, je crois que j'ai enfin trouvé une activité qui me plaît.

— Marie l'a remarqué. Elle m'a dit qu'elle espérait te revoir.

— Vraiment ? C'est fabuleux ! Oh, voilà ma mère. Croisons les doigts !

Louise rejeta ses longs cheveux dans son dos et courut vers la voiture.

— Dis, maman, ça ne te dérange pas de déposer Justine au passage ?

— Bien sûr que non. Montez.

— Merci, madame Mercier, murmura poliment Justine en s'installant à l'arrière.

La maman de Louise démarra.

— Alors, vous vous êtes bien amusées ?

— Tu ne peux pas imaginer ! répondit Louise. J'ai appris de nouvelles figures et je ne m'en suis pas trop mal sortie. Et tu sais quoi ? Justine dansera en solo au prochain spectacle !

Mme Mercier sourit à Justine dans le rétroviseur.

— Félicitations ! Nous prendrons des places pour venir te voir.

— Moi aussi, j'aimerais faire du patinage artistique, maman, enchaîna Louise d'un ton suppliant. Dis, je peux m'inscrire à l'Académie avec Justine ? Il y a plusieurs filles de notre classe qui y vont. Et nous sommes toutes…

— Encore une lubie ! la coupa sa mère en fronçant les sourcils. Aurais-tu déjà oublié ta passion pour le VTT ? Tu ne jurais que par le tout-terrain il y a deux mois.

— Je sais, mais là, c'est autre chose. Je suis nulle à vélo, mais super forte sur des patins. Même Marie, la prof, l'a remarqué. C'est génial, non ?

Sa mère se contenta de lever les yeux au ciel.

Elle s'engagea dans une rue bordée d'arbres et s'arrêta devant chez Justine.

— Merci, madame Mercier. À demain, Louise !

— Au revoir, Justine !

La voiture repartit. Louise se mordilla nerveusement les ongles.

— Alors, pour le patin… ? insista-t-elle.

— Je ne dirai pas que cette idée m'enchante.

Attendons d'être à la maison pour en parler. J'aimerais connaître l'avis de ton père.

— D'accord.

Louise n'était pas inquiète. Son père disait toujours oui.

Hélas, une déception l'attendait.

— Je suis désolé, mais je partage entièrement l'avis de ta mère, déclara-t-il une fois qu'elles l'eurent mis au courant. Nous t'avons déjà payé des leçons de tennis, ensuite tu as voulu un VTT – pour finalement ne rien en faire. Je ne vois pas l'intérêt d'investir dans des patins et des leçons alors que tu t'en lasseras comme du reste.

— Mais pas du tout ! Ce sera différent cette fois-ci. Et vous n'avez même pas besoin de m'acheter des patins. Justine a promis de me donner ses vieux.

— Je vois que vous avez pensé à tout, rétorqua-t-il en haussant les sourcils.

— C'est vrai, répondit-elle, pleine d'espoir, et elle lui adressa un sourire implorant.

Son père secoua la tête.

— Je suis navré, Louise, mais ça ne change rien.

Quelle déception ! Louise quitta la pièce, la mort dans l'âme.

— Génial ! grommela-t-elle. Tout le monde dans ma classe va y aller sauf moi !

Elle monta l'escalier à pas lourds, songeant aux longues soirées solitaires qui l'attendaient pendant que ses amies s'amuseraient.

Au moment où elle atteignait la dernière marche, un éclair aveuglant et une pluie de paillettes illuminèrent le palier.

— Oh ! s'exclama-t-elle, complètement éblouie.

Quand elle rouvrit les yeux, elle vit un petit chiot tout noir assis devant elle.

— Pourrais-tu m'aider, s'il te plaît ? aboya-t-il.

[...]

Dans la même collection :

1. *Au poney-club*
2. *À la ferme*
3. *La tête dans les nuages*
4. *Une vraie star*
5. *Un anniversaire magique*
6. *À la belle étoile*
7. *Un défilé fantastique*
8. *Un ami formidable*
9. *La reine de l'école*
10. *À deux, tout va mieux !*
11. *Des rêves plein la tête*

Découvre vite, du même auteur :

1. *Une jolie surprise*
2. *Une aide bien précieuse*
3. *Entre chats*
4. *Chamailleries*
5. *En danger*
6. *Au cirque*
7. *À l'école de danse*
8. *Au concours d'équitation*
9. *Vagues de paillettes*
10. *Vacances enchantées*
11. *Pluies d'étincelles*
12. *De toutes petites pattes*
13. *Une photo parfaite*
14. *À la piscine*
Collector (tomes 1 à 4)

Cet ouvrage a été imprimé en France par

à Saint-Amand-Montrond (Cher)
en mai 2011

Cet ouvrage a été composé par
PCA - 44400 REZÉ

12, avenue d'Italie
75627 PARIS Cedex 13

— N° d'imp. 110584/1. —
Dépôt légal : mai 2011.